Koen Kampioen komt in actie

*Actuele informatie over Kluitmanboeken
kun je vinden op kluitmankinderboeken.nl*

Koen Kampioen

komt in actie

Fred Diks

5e druk

tekeningen
ivan & ilia

Voor Miranda, Ydwine en Alle

Voetbal

Toegekend door Cito i.s.m. KPC Groep

Nur 282/GGP101205
© Uitgeverij Kluitman Alkmaar B.V.
© Tekst: Fred Diks
© Illustraties: ivan & ilia
Omslagontwerp: Design Team Kluitman

kluitmankinderboeken.nl
koenkampioen.nl
freddiks.nl

Vreemde man

„Scoren, Koen!" roepen de spelers van FC Top.

Koen dribbelt met de bal. Hij is aan het trainen bij zijn club. Koen gaat snel om de pionnen heen. Hij staat tien meter van de goal en knalt hoog. Doelman Gijs steekt zijn handen uit. Maar hij kan niet bij de bal. Die verdwijnt in het net. Koen juicht.

„Mooi doelpunt, Koen Kampioen!" roept Renske. Zij heeft die naam voor Koen zelf bedacht. Dat komt omdat Koen vaak mooie goals scoort. Ze slaat Koen op zijn schouders.

„Pak de bal maar uit het doel." Dat is de stem van Koens trainer, Sebas van der Broek. „En sluit weer achteraan. We gaan door tot iedereen vier keer is geweest."

„Is goed, Broekie," zegt Koen. Broekie is de bijnaam van zijn trainer.

Het liefst voetbalt Koen elke dag. Broekie kan zelf ook heel goed voetballen. Hij speelt in het hoogste jeugdteam van FC Top.

Na het schieten op doel roept de trainer zijn team bij elkaar. „We gaan nu de bal hoog-houden. Ik doe het even voor." Broekie tikt de bal met zijn voet omhoog. Hij gebruikt ook zijn bovenbeen en zijn hoofd. Hij laat de bal zelfs een keer op zijn schouder stuiteren. De bal valt niet één keer op de grond. Broekie lijkt wel een tovenaar. Zo goed kan hij het. Koens team klapt voor hem.

„Gaaf!" zegt Koen. „Wat een leuke show. Mag ik je handtekening?" Koen stroopt zijn mouw op. „Zet hier maar op."

Zijn trainer lacht. „Bedankt voor het applaus. Maar een krabbel deel ik nog niet uit. Dat doe ik misschien later. Pak de bal maar. Nu mogen jullie."

Koen houdt de bal hoog. „Ik ga het net zo goed doen als Broekie," mompelt hij in zichzelf.

Langs de kant kijken een paar ouders naar de training. Een eind verder staat een vreemde man.

Hij stond er vorige week ook, weet Koen nog.

Hij is geen vader van een van de spelers. Maar wie is hij dan wel? denkt Koen. Hij ziet dat de man iets opschrijft. Wauw. Misschien kom ik weer in de krant. Maar dan weet Koen dat het onzin is. Een stuk in de krant over een training? Dat zal vast niet.

De vreemde man zwaait naar Broekie.

Die zwaait verlegen terug.

Hè? Wat raar, denkt Koen. Kennen die elkaar?

Ook de voorzitter van FC Top staat langs de lijn. Dat is meneer Waser. Hij kijkt op zijn horloge. „Duurt de training nog lang?"

„Hierna doen we nog een partij," antwoordt de trainer. „Hoezo?"

„Ik wil jullie iets vertellen. Ik heb nieuws."

„Spannend. Over een kwartier zijn we klaar," zegt Broekie.

„Ik kom straks wel naar de kleedkamer," zegt de voorzitter.

Broekie steekt zijn duim omhoog. „Oké."

Wat voor nieuws zou hij hebben? zegt Koen. Gaat de wedstrijd van zaterdag niet door? Of krijgen we een nieuwe speler?

Na het hooghouden van de bal maakt Broekie twee partijen. Hij pept de teams goed op. „Zet hem op. Ga door. Mooie voorzet." Hij legt ook veel uit. Hoe Koens team moet spelen. En hoe je het beste de bal kunt trappen. „Schiet de bal laag naar elkaar!" roept hij. „Want een hoge bal is moeilijk af te stoppen."

Broekie heeft twee goals van pionnen gemaakt. Die staan ver uit elkaar. Zo zijn de doelen heel groot. Dan worden er veel goals gescoord.

Dat gebeurt ook dit keer. Na tien minuten is het al 7-5. Koen heeft drie goals gemaakt. Net als zijn beste vriend Niels. Aan het einde van de training is het 9-9.

Koen ziet dat Broekie tussendoor vaak naar de zijlijn tuurt. Daar staat die vreemde man nog steeds. Broekie is een beetje stil geworden. Hij staart voor zich uit.

„Is er iets, Broekie?" vraagt Koen.

„Eh... Nee nee," zegt de trainer. Hij fluit af. „De training is afgelopen. Samen opruimen. En daarna douchen."

„Mooi. Het is gelijkspel," merkt Aukje op. Ze stopt twee ballen in een net. Aukje en Renske zijn de twee meisjes in Koens team.

„Opschieten," zegt Koen. „Meneer Waser wil ons iets vertellen."

Groot nieuws

De spelers brengen snel de spullen naar het ballenhok.

„Volgens mij is er iets met Broekie," zegt Koen.

„Kan best," vindt Niels. „Hij werd ineens zo stil."

„Zou het iets met die man te maken hebben?" vraagt Koen.

Niels haalt zijn schouders op. „Geen idee. Ik zag hem zaterdag ook al. Toen keek hij naar de hoogste jeugd. Broekie was in topvorm. Hij scoorde vier goals."

„Misschien is het wel een scout," zegt Koen.

„Een scout?" vraagt Renske. „Wat is dat dan?"

„Een scout is iemand die spelers bekijkt. Als ze heel goed zijn, komen ze bij een profclub."

Aukje zet grote ogen op. „Zou Broekie een echte prof worden?"

„Hij kan wel heel goed voetballen," vindt Gijs.

„Misschien gaat hij weg bij FC Top."

„Mooi niet," zegt Koen. „Broekie is vet cool. Ik wil dat hij altijd onze trainer blijft."

„Broekie laat ons nooit in de steek," weet Renske zeker.

Koens team gaat snel de kleedkamer in.

Meneer Waser is er al. „Ik heb groot nieuws," begint hij. „Over een poosje vieren we feest."

„Hoe kan dat nou?" vraagt Koen. „We zijn nog lang geen kampioen."

„Dat weet ik," zegt meneer Waser. „Toch is het feest. De club bestaat vijftig jaar. Dat gaan we met zijn allen vieren."

„Yes!" roept Koen. „Een feest is vet gaaf."

„Voor de oudste jeugd is er een disco," gaat de voorzitter verder. „Dat wilde Sebas graag."

Tarkan schiet in de lach. „Is dat zo, Broekie? Zal ik vragen of mijn zus Aysa ook komt?"

Broekie krijgt een vuurrood gezicht. Hij heeft al eens gedanst met de zus van Tarkan. Dat was op het suikerfeest. Broekie viel toen erg op. Niet omdat hij zo goed kon dansen. Maar omdat zijn benen op houten planken leken.

„Op discomuziek kan ik veel beter dansen," zegt Broekie. „Er komt een echte deejay. Die draait te gekke muziek." Hij beweegt zijn armen en benen. „Kijk. Zo moet je dansen."

Het hele team schiet in de lach.

„Wat stom," vindt Aukje. „Leer ons maar voetballen in plaats van dansen. Anders staan

14

we mooi voor paal."

„Precies," lacht Tarkan. „Voor doelpaal zul je bedoelen."

„Wat gaan wij dan doen?" vraagt Koen. „Krijgen wij ook een disco?"

Renske ziet dat wel zitten. Ze stoot Koen aan. „Dat lijkt me tof. Zullen wij dan…?"

Maar Renske kan haar zin niet afmaken.

„We gaan toch zeker niet dansen?" vraagt Koen verbaasd. „We zitten niet op dansles!"

„Nee hoor. Jullie gaan iets anders doen. Daarom ben ik hier," zegt meneer Waser. „Kom zo maar in de kantine. Dan mogen jullie mij vertellen wat jullie willen."

Broekie staart weer voor zich uit. Hij kijkt een beetje bezorgd.

„Wat is er toch, Broekie?" vraagt Koen.

„Eh… Niks." Broekie loopt de kleedkamer uit.

Na het douchen gaan Koen en Niels naar de kantine. De rest van het team is er al. Iedereen krijgt een glaasje fris. Daar zorgt kantinebaas Frank voor.

Broekie is er nog niet. Koen kijkt door het raam.
Hij ziet zijn trainer buiten staan. Broekie praat
met de vreemde man.

Wat wil die man toch? denkt Koen.

„Kennen die twee elkaar?" vraagt Tarkan aan Koen.

Die haalt zijn schouders op. „Geen idee. Misschien wel."

Na een poos komt Broekie eindelijk binnen.

„Hè hè. Waar bleef je nou?" wil Tarkan weten. „Was je de weg kwijt? Wat raar. Onze kantine heeft maar één deur."

„Ik weet heus wel waar de ingang is." Broekie wordt rood. „Er wilde iemand met me praten. Dat mag toch?"

Broekie heeft vast een geheim, denkt Koen. Hij merkt dat zijn trainer geen grapjes meer maakt. Het lijkt of Broekie zorgen heeft.

„Laten we het over het feest hebben," stelt Broekie voor. „Wat willen jullie gaan doen? FC Top bestaat maar een keer vijftig jaar."

„Mij lijkt een disco wel leuk," zegt Renske.

Maar Koen haalt zijn neus op.

„Zullen we naar de dierentuin gaan?" stelt Gijs voor.

„Ja. Dan komen we vast familie van jou

17

tegen," grapt Tarkan. Als een aap springt hij door de kantine. Hij maakt er rare geluiden bij.

Frank gooit van achter de bar een paar pinda's door de kantine. „Voor de grappigste aap van FC Top," zegt hij.

Het team van Koen ligt in een deuk. Maar Broekie kan er niet om lachen.

Tarkan raapt snel de pinda's op. Dan gaat hij weer bij de anderen zitten.

„Naar een circus is ook vet gaaf," weet Aukje.

„Tja. Of een pretpark. Is dat niet leuk?" vraagt Niels.

„Cool," vindt Koen. „In een pretpark is echt van alles te doen. Dan gaan we met z'n allen in de achtbaan."

„Wie is voor een pretpark?" vraagt meneer Waser.

Alle spelers steken hun hand op.

„Mooi," zegt de voorzitter. „Komt in orde. Jullie mogen nu wel naar huis."

Broekie heeft een geheim

Alle spelers staan op om naar huis te gaan.

„Nee. Wacht even." Broekie kucht even. „Ik wil ook nog iets zeggen."

Koen is verbaasd. „Gaat het over het feest? Wil je niet naar een pretpark?"

„Ja, dat wel," zegt Broekie. „Maar daar gaat het niet om. Ik heb een geheim. Ik loop er al een paar dagen mee rond. Jullie mogen het nu wel weten. Ik heb net een besluit genomen. Het heeft te maken met de man die net naar mij kwam kijken. Hij is hier afgelopen zaterdag ook al geweest."

„Dat weet ik," zegt Niels. „Toen maakte je vier goals."

Broekie knikt. „Die man heeft me al vaker zien voetballen. Het is Ruben Oost. Hij is trainer bij Scoor. Hij wil dat ik op proef ga trainen bij hun eerste elftal. Als het goed gaat, speel ik volgend seizoen in dat team."

„Wauw," zegt Niels. „Scoor is een grote club. Hun eerste elftal is vet goed."

„Klopt," zegt Broekie. „Ze spelen heel hoog."

„Maar hoe komen ze bij jou terecht?" vraagt Tarkan.

„Simpel," zegt Broekie. „Een vriend van mij speelt bij Scoor. Joost heet hij. Hij traint daar zelf ook een jeugdteam. Joost heeft zijn trainer verteld dat ik goed in vorm ben."

Koen juicht. „Te gek, Broekie. Misschien kom je na Scoor wel bij een echte profclub. Dat wil ik later ook. Dat was een leuk geheim."

„Eh... Er is meer." Broekie schraapt zijn keel. „Ik ga daar niet alleen op proef trainen. Ik word er zelf ook trainer van een team. Die spelers zijn net zo oud als jullie. Maar ze voetballen twee klassen hoger."

„Leuk," zegt Aukje. „Je bent er wel druk mee, zeg. Je traint twee teams. Je voetbalt bij FC Top. En je komt op proef bij het eerste van Scoor."

„Tja. Dat kan dus niet," zegt Broekie. „Ik ga ook nog naar school. Dus moest ik kiezen. Scoor of FC Top. Ik heb er lang over nagedacht. Bij Scoor kom ik misschien wel in het eerste. Daarom ga ik bij jullie weg. Helaas. Het kan niet anders."

Het wordt doodstil.

„Wat? Broekie... Weg? Je moet blijven!" roept Koen dan.

Het hele team slaat met de handen op tafel. „Blijven! Blijven!" schreeuwt iedereen.

„Het spijt me," zegt Broekie. „Deze kans moet ik grijpen."

„Wie gaat ons dan trainen?" vraagt Tarkan. Hij maakt altijd grapjes. Maar hij kan er nu geen bedenken.

„Meneer Waser. Hij wist vorige week al dat ik gevraagd was voor Scoor. Toen heb ik hem verteld dat ik misschien weg zou gaan."

„Klopt," vult de voorzitter aan. „Voorlopig train ik jullie. Tot we een andere oplossing vinden."

Koen geeft de moed nog niet op. „Toe dan, Broekie. Ga niet weg. We kunnen je niet missen. Jij bent de beste trainer! En dan gaat het feest voor jou ook niet door. Wij kunnen toch niet zonder jou naar het pretpark? Daar is niets aan."

Maar Broekie blijft bij zijn besluit. „Het spijt me. Jullie zijn echte toppers. Tot kijk."

„Gelukkig zien we jou volgende week

zaterdag al weer terug," merkt Renske op.

„Hoe kan dat nou als hij weggaat?" sputtert Koen tegen.

„Simpel," zegt Renske. „Dan spelen we een oefenduel. Dat heb ik op het prikbord in de kantine gelezen. Weet je tegen wie?"

„Dat is waar ook," zegt Koen. „Tegen Scoor. De nieuwe ploeg van Broekie."

„Klopt," knikt Broekie. „Daar had ik nog niet bij stil gestaan. Laat dan maar zien wat ik jullie geleerd heb. Ik vind het leuk dat we elkaar snel weer zien." Broekie geeft iedereen een hand. Hij zwaait als hij de deur uit gaat. „Tot volgende week," zegt hij zacht. „Maar we blijven vrienden, hè?"

„Zeker weten," roept Koen. „We blijven vrienden."

Modderbeest

Een week later moet Koen weer trainen. Samen met Renske fietst hij naar het sportveld. Het regent hard.

„Ik heb helemaal geen zin om te trainen," moppert Koen. „Zonder Broekie is er niets aan."

„Vind ik ook," zegt Renske.

„Zullen we samen een plan maken?" stelt Koen voor. „Want Broekie moet terugkomen."

Renske knikt. „Goed idee. Kom. We gaan snel naar binnen."

In de kleedkamer is de rest van het team zich al aan het omkleden.

„Hoe krijgen we Broekie terug?" vraagt Koen. Hij trekt zijn shirt over zijn hoofd.

„Ik heb een idee," zegt Aukje. „We strooien spijkers op de weg. Dan krijgt Broekie telkens een lekke band als hij naar Scoor fietst. Dan zal hij blij zijn dat hij weer naar FC Top mag."

„Dat is zielig," zegt Renske. „Dan is hij drukker met banden plakken dan met voetballen."

„Of we gaan naar Scoor toe," bedenkt Gijs. „Met spandoeken en zo. Om te laten zien dat we hem terug willen."

„Dat is niet gek bedacht," vindt Niels. „Dan vragen we aan die Ruben Oost of wij Broekie terug mogen hebben."

„Oké," zegt Koen. „Na de training bedenken we wat er op de spandoeken komt."

„Goed plan," zegt Aukje. „Maar nu wil ik naar buiten. Het veld is kletsnat. Je kunt er mooie slidings maken. Lekker door de modder glijden. Heerlijk."

Koen knikt. „Ik weet het niet, hoor... Trainen met meneer Waser? Zaterdag spelen we tegen Scoor. Dat wordt knap lastig. Broekies team speelt hoger. Als het maar geen afgang wordt."

„Misschien leert hij ons heel veel," hoopt
Niels. „En winnen we van Scoor."

„Wat raar dat hij er nog niet is," zegt Aukje.
„Kom. Laten wij vast naar het veld gaan."

Renske is het met haar eens. „We pakken de
spullen zelf wel. Frank heeft het ballenhok al
opengemaakt."

„Maar het regent," moppert Tarkan. „Laten
we nog even binnen blijven. Hier is het warm."

„Regen is tof," meent Koen. „Ik ga minstens
twintig slidings maken. We kunnen door de
modder rollen. En een echte buikschuiver
maken. Kom. We gaan naar buiten. Ik wil een
modderbeest worden."

„Gaaf," zegt Niels. „Dan houden we een
wedstrijd. Wie straks het meest op een beest
lijkt, heeft gewonnen."

„Leuk," vindt Aukje.

Koen wil net de deur opendoen.

Maar dan komt meneer Waser binnen. „Dag,
allemaal," zegt hij. „Over tien dagen is het
zover. Dan gaan jullie naar het pretpark. Op die

zaterdag hebben jullie geen voetbal. Jullie zijn vrij. Daar heb ik net bericht van gekregen. We vertrekken heel vroeg. De opa van Tarkan rijdt met de bus. Leuk, hè?"

„Zeker weten," knikt Koen. „Maar waarom heeft u geen trainingspak aan? Komt u ons niet trainen?"

„Jawel hoor," zegt meneer Waser. „Ik kom net van kantoor. Ik had geen tijd om me om te kleden. Voor deze keer houd ik mijn pak aan."

Koen baalt. Een trainer in een net pak. Wat stom! Koen vindt het jammer dat Broekie er niet is. De trainingen van Broekie zijn altijd leuk. Ik wil hem terug, denkt hij.

De spelers lopen met een net vol ballen naar het veld. De voorzitter pakt de tas met hesjes. Die worden straks bij het partijspel gebruikt. De pionnen staan al op het veld. Een andere groep heeft die net gebruikt.

Het gaat steeds harder regenen.

„We kunnen de training wel overslaan," stelt de voorzitter voor.

Maar daar wil niemand iets van weten.

„Kom, zeg. Niet trainen? We zijn geen watjes," zegt Koen stoer.

„Goed dan. We gaan trainen. Maar kijk uit. Het veld is spekglad." Meneer Waser loopt voorzichtig het veld op. Hij is bang dat hij uitglijdt. Hij houdt een grote paraplu boven zijn hoofd. „Anders word ik nat."

Wij toch ook? denkt Koen.

Meneer Waser laat Koens team maar een beetje zijn gang gaan. „Ga maar schieten op doel. Of doe een partijspel. Je mag ook gaan koppen. Of de bal opgooien en afstoppen. Je kunt ook gaan dribbelen. Regel het zelf maar.

Ik kan niets voordoen. Ik heb schoenen met gladde zolen aan. En ik wil niet vies worden. Ik kijk wel hoe goed jullie het kunnen."

De spelers beginnen met een partij. Koen vindt de training niet zo leuk. Iedereen maakt er een potje van. Dat komt omdat Broekie er niet is, denkt Koen. Hij zou het nooit goed vinden als wij zo aanmodderen. We moeten snel spandoeken maken. Dan krijgen we Broekie wel terug.

De training is een puinhoop. Gijs duikt expres over de bal heen. Aukje gooit voor de lol met modder naar Renske. Dat brengt Tarkan op een idee. Hij stopt een hand vol modder achter in het shirt van Niels. De spelers worden steeds meliger. Ze krijgen zelfs de slappe lach. Met voetbal heeft het niets te maken.

„Kijk uit," waarschuwt meneer Waser. „Jullie worden vies."

„Dat is niet erg," zegt Aukje. „Daar zijn wasmachines voor."

De voorzitter haalt verbaasd zijn schouders op. „Dan moeten jullie het zelf maar weten."

Koen glijkampioen?

De groep van Koen verliest de partij. Maar dat kan hem niets schelen.

Het glijden door de modder vindt Koen wel leuk. „We nemen om de beurt een aanloop," stelt hij na de partij aan de anderen voor. „Ik zet een pion op tien meter van het doel. Vanaf die plek glijden we op onze buik door de modder. We maken een echte buikschuiver. Degene die het verst komt, heeft gewonnen."

„Dat lijkt me een leuk gezicht. Al die glijdende spelers. Glij maar op dat deel van het veld." Meneer Waser wijst de andere kant op. „Ik wil schoon blijven."

„Dat is een vet gave oefening," vindt Aukje. „Leuk bedacht, Koen Kampioen."

De spelers gaan in een rij staan. Aukje staat voorop.

Koen roept: „Ja!"

Aukje neemt een aanloop. Bij de pion zet ze zich met twee voeten af. Aukje strekt haar handen, alsof het vleugels zijn. Ze glijdt op haar buik een eindje door de modder. „Jammer. Ik kwam net niet in het doel." Daarna krabbelt ze overeind.

Ook andere spelers blijven voor het doel in de modder steken.

„Cool," lacht Koen. „Nu ben ik." Hij neemt een lange aanloop. Koen lijkt heel ver te komen. Maar hij glijdt scheef. Hij komt met zijn hoofd tegen de paal. „Au!" roept Koen. Hij kijkt zuur.

„Arme Koen Citroen," plaagt Tarkan. „Jij wordt geen glijkampioen."

Koen wrijft over zijn hoofd. Maar hij kan er wel om lachen.

Tarkan gaat als laatste. „Hallo! Hier is het modderbeest!" schreeuwt hij. „Grrr, grrr." Hij komt heel ver. Hij glijdt door tot zijn hoofd vastzit in het net. „Yes! Ik heb gewonnen."

Iedereen slaat de winnaar op zijn schouders. Als hoofdprijs krijgt hij van Aukje een hand modder naar zijn hoofd gegooid. Tarkan gooit terug.

Daardoor ontstaat er een moddergevecht tussen alle modderbeesten van FC Top.

Na het gevecht gaat Gijs in het doel staan.

„We gaan nu op de goal schieten." Koen legt uit waar de spelers moeten staan.

De voorzitter steekt zijn duim op. „Goed zo, Koen. Jij moet later trainer worden."

„Misschien als ik oud ben," zegt Koen. „Eerst wil ik prof worden."

De voorzitter staat naast het doel. „Groot gelijk."

Tarkan heeft de bal. Hij schiet hem naar Koen.

Die geeft een lage voorzet. Tarkan staat acht
meter van het doel. Hij glijdt half uit en knalt de
bal naast het doel. De bal ploft in de modder en
blijft liggen.

„Oeps. Meneer Waser!" roept Tarkan. „U
staat er dichtbij. Wilt u de bal naar mij
schoppen?"

„Vooruit dan," zegt de voorzitter. Hij loopt op
zijn tenen naar de bal. „Het is hier spekglad,"
zucht hij. „Ik weet niet of het lukt." Hij wil de
bal een trap geven. Hij zwaait zijn ene been naar
achteren. Maar dan glijdt hij uit met zijn andere
been.

Bam! Meneer Waser valt voorover. Hij belandt
met zijn buik in de modder. Zijn paraplu waait
weg. „O nee," moppert hij. „Was ik maar thuis
gebleven. Ik zie er niet uit." Zijn nette pak zit
onder de modder. De voorzitter krabbelt
overeind. Hij veegt de modder van zijn pak.
„Bah. Ik lijk nu wel erg veel op jullie. Dit pak
gaat morgen naar de stomerij. De volgende keer
trek ik een trainingspak aan."

„Zullen we er maar mee stoppen?" stelt Koen
voor.

„Goed idee," zegt meneer Waser. „Ik ga
meteen naar huis. Daar neem ik een echt bad na
dit modderbad. Tot zaterdag. Dan komt Broekie
met Scoor op bezoek."

„Tot ziens," zegt Koen. We hebben veel
gelachen, maar niets geleerd, denkt hij. De
trainingen van Broekie zijn altijd top. Kon ik hem
maar terug toveren.

FC Snotters

„Gijs? Weet jij een leuke tekst voor de spandoeken?" vraagt Koen. Hij heeft zich net gedoucht.

„Eh... Even denken. Ja. Ik krijg een idee. 'Dit is geen leuke mop. Broekie hoort bij FC Top.' Is dat wat?"

„Zeker weten," knikt Koen.

„Ik weet ook een leuke," zegt Aukje. „Luister. 'Broekie bij Scoor. Dat is echt niet top, hoor.' Of gewoon: 'Wij willen onze trainer terug'!"

„Helemaal top," lacht Koen. „Komen jullie morgen na school bij mij?" stelt hij voor. „Wij hebben vast nog wel oude lakens."

„Oké," zegt Niels. „En 's avonds gaan we naar Scoor. Dan moet Broekie er trainen."

„Yes," juicht Renske. „Misschien is hij vanaf morgen weer onze trainer."

„Dat hoop ik wel," zegt Koen.

De volgende dag is het team van FC Top bij

Koen. De spelers schilderen teksten op oude lakens. Koen pakt stokken uit de schuur. Die maakt hij aan de lakens vast. Na een hele poos zijn de spandoeken klaar.

„Jullie hebben hard gewerkt," zegt Koens moeder. „Jullie hebben vast honger gekregen. Daarom ben ik friet aan het bakken."

„Yes!" juicht Koen.

Koens vader zet een extra tafel in de keuken. Zo kan iedereen erbij. Het hele team smult van de friet.

„Kom," wenkt Koen na het eten. „We kunnen nog wel even op het plein gaan voetballen."

Zijn hond Max blaft. Als die het woord voetbal hoort, wil hij altijd mee.

Koen kijkt op zijn horloge. „Over een uur gaan we naar Scoor. We gaan proberen om Broekie terug te krijgen."

„Als dat maar lukt," hoopt Koens moeder.

„Vast wel," merkt Aukje op. „Als hij onze spandoeken ziet, loopt hij zo het veld af. En dan fietst hij met ons mee."

Na het voetballen stapt Koens team op de fiets. Na een half uur zijn ze bij het veld van Scoor. Het eerste elftal van Scoor is aan het trainen.

Broekie zwaait al van ver. „Hé! Wat leuk dat jullie komen kijken."

„Niet alleen kijken," roept Aukje. „Je moet met ons mee! Kijk maar wat we bij ons hebben."

Ze rollen hun spandoeken uit.

Broekie kijkt verbaasd. Dan schiet hij in de lach. „Wie heeft die teksten bedacht? Vet gaaf. En het rijmt ook nog."

„Precies," zegt Koen. „Aukje en Gijs zijn de dichters in onze ploeg."

Koens team schreeuwt de spreuken die op de spandoeken staan. „Dit is geen leuke mop. Broekie hoort bij FC Top." Aukje en Gijs houden het spandoek goed vast.

„Ben je het ermee eens?" vraagt Aukje.

Broekie haalt verlegen zijn schouders op.

Na een poosje schreeuwt Koens team: „Broekie bij Scoor. Dat is echt niet top, hoor." Zo gaat het een paar minuten door.

Het team van Broekie is gestopt met trainen.

„Wat heb jij veel fans," zegt een medespeler van Broekie.

„Ja," zegt hij trots. „Dat is mijn team. Leuk dat ze er zijn, hè?"

Renske kijkt blij. „Ga je straks met ons mee? Toe dan, Broekie."

Voordat Koens trainer iets kan zeggen, komt Ruben Oost er aan. Hij kijkt heel boos. „Wat een lawaai. Jullie verstoren mijn training met die herrie! Dit lijkt nergens op." Hij zwaait wild met zijn armen. „Wegwezen! Ik wil jullie hier niet meer zien. Jullie zijn geen FC Toppers, maar FC Snotters."

Broekie krijgt een brok in zijn keel. Hij vindt het niet leuk dat zijn nieuwe trainer zo tekeer gaat.

Renske schrikt er van. Ze krijgt tranen in haar ogen. „Bah," snikt ze. „Wat een nare man. Ik snap niet dat Broekie bij zo'n stommerd gaat trainen."

Koen wordt bleek. „Het is een echte bullebak. Ik denk dat we Broekie nog lang niet terug hebben," zegt hij. Dan kijkt hij naar zijn vroegere trainer. „We zien jou zaterdag, Broekie. Tot dan."

Broekie weet niet goed hoe hij kijken moet. „Eh... Sorry," stottert hij. „Ik kan er ook niets aan doen."

Het team van FC Top rolt de spandoeken gauw op en druipt af. Zonder Broekie.

Een cadeau voor Broekie

Het is zaterdag. De dag van het oefenduel tegen Scoor. Iedereen praat over de mislukte poging om Broekie terug te halen.

„Ik vind het zo raar," zegt Koen onderweg. Hij fietst met Renske en Niels naar het sportveld.

„De eerste wedstrijd zonder Broekie. Ik mis hem nu al."

„Ik ook," zegt Renske.

Niels knikt.

„Kijk." Koen wijst als ze bij het veld komen. Er komt een lach op zijn gezicht. „Broekie is er al." Koen holt op hem af. „Hoi, Broekie. Ik heb iets voor jou."

„Dag, toppers," lacht Broekie. „Wat naar dat jullie bij Scoor weg werden gestuurd."

„Maakt niets uit. We geven het niet op. Ooit kom je bij ons terug." Koen graait in zijn tas. Hij haalt er een pakje uit.

„Waar heb ik dat aan verdiend?" vraagt Broekie.

„Een cadeau. Omdat je bij FC Top weg bent,"
zegt Koen. „Maar als je terugkomt, mag je het
toch houden."

Broekie lacht. Hij trekt het papier eraf.
„Wauw. Wat cool."

Het is een foto van Koens team. Koen heeft
hem in een lijst gedaan. De foto is aan het begin
van het seizoen gemaakt door Koens vader.
„Kijk, Broekie. Jij staat er ook op."

„Ja. Ik sta daar links. Lief, hoor," stamelt hij.

De spelers van Koens team gaan om Broekie
heen staan. Er komen ook een paar ouders bij.

„Jammer dat je weg bent bij FC Top," zegt de moeder van Gijs. „Heb je nog geen heimwee?"

Broekie slikt. „Eerlijk gezegd wel. Ik mis mijn team heel erg. Maar ja. Ik wil graag hogerop komen als voetballer. Dus het kon niet anders. Gelukkig zie ik jullie vandaag weer. We moeten maar vaak oefenduels tegen elkaar gaan spelen. Dat helpt vast."

„Kom, Sebas," zegt een begeleider van Scoor. „We gaan naar binnen. De spelers kleden zich al om."

Broekie loopt de kleedkamer van zijn nieuwe team in.

Even later gaan de ploegen het veld op.

„Veel plezier, FC Top!" roept Broekie sportief.

„Als je maar weet dat wij gaan winnen," zegt Koen stoer. Hij stroopt zijn mouwen op.

„Laat maar zien wat je van mij geleerd hebt," vindt Broekie.

„Is goed," knikt Koen. „Ik scoor tegen Scoor."

„Dat wordt moeilijk," verwacht Broekie. „Mijn

nieuwe ploeg speelt veel hoger dan FC Top."

De spelers van Scoor en FC Top stellen zich na de toss op. De scheids fluit voor het begin.

FC Top heeft de aftrap. Niels tikt de bal naar Koen. Die geeft een pass naar Aukje. Zij rent hard met de bal aan haar voet het veld over. Aukje passeert een speler. Dan trapt ze hard naar voren. Daar krijgt Koen de bal. Hij wipt de bal over een verdediger heen. Daarna knalt hij hoog in het doel.

Goal! Het is al 1-0 in de eerste minuut.

„Cool, Koen Kampioen!" roept Renske.

Alle spelers vliegen Koen blij om zijn nek.

„Dit kan wel een nulletje of tien voor ons worden," schept Tarkan op.

Meneer Waser is zo blij dat hij boven op de dug-out gaat staan. Dat is een hok langs de lijn waarin de wisselspelers zitten. „Trainer zijn is leuk," juicht meneer Waser. „Misschien blijf ik wel het hele seizoen."

O nee, hè, denkt Koen. Ik wil dat Broekie terugkomt. Maar misschien lukt dat nooit meer.

Broekie staat bij de zijlijn. Hij klapt voor Koen.
„Mooie goal, Koen Kampioen."

„Ik zei toch dat ik zou scoren," lacht Koen.

Broekie steekt een vinger op. „Maar Scoor
geeft de moed niet op. We hebben tijd genoeg
om nog te winnen."

FC Top verdedigt de 1-0-voorsprong lange tijd.
Maar kort voor de pauze moet Gijs drie keer de
bal uit het net halen.

„Zo is er geen bal aan," moppert Gijs tijdens
de rust. „Scoor is veel te sterk."

„Misschien komt dat ook door Broekie,"
vermoedt Niels. „Die zal Scoor wel goed
opgepept hebben."

„Wat kunnen we eraan doen?" vraagt meneer
Waser.

„Tja. U bent de trainer," vindt Aukje. „Hoe
gaan we nu verder?"

Meneer Waser haalt zijn schouders op. „Doe
maar goed je best."

„Dat doen we altijd. Zullen we Broekie even
om raad vragen?" grapt Tarkan.

Koen staart voor zich uit. Hij zegt niets. Was Broekie nog maar onze trainer. Toen was het veel leuker, denkt hij.

In de tweede helft voetbalt Scoor heel goed. FC Top krijgt geen kans. Koens team verliest met 1-6. De scheids fluit voor het einde.

„Hè hè. Gelukkig," zucht Gijs. „Anders had ik wel tien goals om m'n oren gekregen."

„Kom. Snel!" roept Koen. „We gaan naar de kleedkamer van Scoor. Als Broekie naar binnen wil, geven we hem een hand."

„Goed idee," zegt Renske. „Scoor heeft eerlijk gewonnen. Het is maar goed dat Koen een goal heeft gemaakt. Anders was het echt een rotmiddag geworden."

Het plan

Na het douchen gaat Koens team de kantine in.
Ze zien Broekie niet meer. Hij is met zijn nieuwe
ploeg naar de kantine van Scoor.

Aan de bar zit meneer Waser. Hij drinkt koffie
met de hoofdtrainer van FC Top. Dat is Ron
Pasman.

„Het gaat niet goed met het eerste team,"
klaagt de trainer.

Koen hoort dat. Hij wordt nieuwsgierig. Hij
blijft in de buurt van de bar staan.

„We scoren heel moeilijk. En nu heeft mijn
spits ook nog eens zijn been gebroken. We
verliezen de laatste weken steeds." Ron Pasman
zucht. „Ik weet niet hoe het verder moet."

Koen gaat naar zijn team. „Ik heb een plan,"
fluistert hij. „Misschien kunnen we Broekie toch
terug krijgen."

„Hoe dan?" vraagt Renske. „Ik ga niet meer
naar Scoor, hoor. Dan krijgen we weer op onze
kop van die nare man."

„Dat hoeft ook niet," zegt Koen. „We moeten gaan praten met meneer Pasman. Broekie is in topvorm bij de jeugd. Volgens mij kan hij met gemak in ons eerste mee. Ze hebben iemand nodig die kan scoren. En dat is Broekie. Hij vindt het vast een grote eer."

„Als meneer Pasman ons maar niet afsnauwt. Net als die trainer van Scoor," moppert Aukje.

„Nee. Meneer Pasman is echt aardig," weet Niels. „Jouw plan is vet cool, Koen."

Die stapt op de trainer af. „Mag ik u iets vragen?"

„Tuurlijk," zegt meneer Pasman. „Ben jij niet Koen Kampioen? Ik heb al veel over jou gehoord." Hij lacht vriendelijk naar Koen. „Jammer dat je te jong bent om in het eerste te spelen. Ik kan nu wel een echte kampioen gebruiken."

„Dan moet u Broekie opstellen," zegt Koen. „Hij scoort heel vaak bij de jeugd. Hij traint zelfs op proef mee bij Scoor. Daar kan hij in het eerste komen. Wij zijn hem nu kwijt als trainer.

Dat is vet balen."

„O," zegt de trainer verbaasd. „Is dat zo? Bij Scoor mee trainen... Dan moet hij wel goed kunnen voetballen. Een scorende spits is altijd welkom. Ik wil Broekie wel eens aan het werk zien. Weten jullie wanneer hij bij Scoor traint?"

„Ja," knikt Koen. „Overmorgen."

„Oké. Dan ga ik kijken," belooft Ron Pasman. „Als hij echt zo goed is, vraag ik hem voor het eerste elftal van FC Top."

„Yes!" schreeuwt de hele ploeg.

„Maar... Wie zegt dat hij ook weer bij ons komt? En dat hij zijn team daar in de steek laat?" bedenkt Gijs.

„Hm. Dan regelen wij toch een andere trainer

voor Scoor?" zegt Koen.

„We vragen gewoon meneer Waser. Die wil
vast wel," grapt Tarkan.

„Goed plan," lacht Koen. „Maar ik kan beter
Broekie opbellen. Dan vraag ik hem het nummer
van zijn vriend Joost. Die traint toch al een team
van Scoor. Misschien wil hij de ploeg van
Broekie er wel bij nemen."

„Wat een keigaaf idee," meent Renske.

„Maar het moet wel snel," vindt Aukje. „Voor
zaterdag. Dan moeten we weten of Broekie in
het eerste van FC Top komt. En of hij ons weer
wil trainen. Want zaterdag gaan we naar het
pretpark."

„Precies," zegt Koen. „In een pretpark zonder
Broekie is weinig pret te beleven."

Op naar het pretpark

Eindelijk is de grote dag aangebroken. Het is groot feest bij FC Top. De spelers van Koens team mogen naar het pretpark.

Koen heeft een grote tas bij zich. Daar zitten broodjes, pakjes drinken en een zak snoep in.

„Heb je al nieuws?" vraagt Niels aan Koen. „Over Broekie? Ik hoop zo dat hij terugkomt."

„Ik heb Joost gebeld," zegt Koen. „Hij wil Broekies team bij Scoor wel trainen. Dat is dus mooi opgelost. Maar meneer Pasman heb ik nog niet gesproken. Als Broekie niet in het eerste van FC Top komt, gaat het feest zeker niet door."

„En Broekie? Heeft die al wat gezegd?" wil Tarkan weten.

„Nee," antwoordt Koen. „Maar als hij weer bij FC Top komt, wil hij vast mee naar het pretpark. Dus als hij vandaag niet komt, blijft hij bij Scoor."

De opa van Tarkan zit al in de bus. Hij toetert.

„We vertrekken zo. Gaat iedereen op zijn plaats zitten?"

„Kunnen we niet even wachten?" vraagt Koen. „Broekie is er nog niet."

„Nee. Helaas. We moeten nu weg. Anders zijn we veel te laat."

De spelers stappen in. Ook meneer Waser en Frank gaan de bus in.

„Echt balen. Dan blijft Broekie dus toch bij Scoor." Koen voelt in zijn broekzak. „Ik heb geld bij me. Daar koop ik een kaart met een postzegel voor. Die stuur ik naar Broekie," zegt hij tegen Renske. Hij kijkt triest voor zich uit.

„Kijk. Daar is nog een lege plek. Die was voor Broekie."

Tarkans opa sluit het portier van de bus. Hij kijkt in de spiegel en wil weg rijden.

Maar dan komt er een auto aan. Het is meneer Pasman. Hij stapt uit en loopt naar de bus. Hij stapt vlug in en gaat voor in de bus staan. „Ik ga niet mee, hoor. Ik wil alleen iets zeggen. Ik heb Broekie bij Scoor zien spelen," vertelt hij.

„En?" vraagt Koen.

„Hij is echt goed," vindt meneer Pasman. Hij steekt zijn duim omhoog. „Hij scoort vaak. Ik wil hem graag in het eerste hebben."

„Yes! Nu maar hopen dat Broekie nog komt," zegt Koen.

Tarkans opa wordt ongeduldig. „Ik ga nu," zegt hij. „We zijn al aan de late kant."

Meneer Pasman stapt weer uit de bus. Het portier gaat dicht. Dan rijdt de opa van Tarkan weg.

Koen kijkt nog even achterom. „Hè? Is het echt waar?" Hij wrijft in zijn ogen. „Dat is Broekie," gilt hij. „Remmen!"

Broekie gooit zijn fiets op de grond. Hij rent
naar de bus. „Mag ik nog mee?" lacht hij.

„Tuurlijk!" roepen alle spelers.
   „Mag ik jullie weer trainen?" vraagt hij daarna
verlegen.

„Graag," lacht Koen. „En we komen naar jou kijken. Op zondag. Als je in het eerste elftal speelt."

Broekie glundert. Hij gaat op de lege plek zitten. „Was ik maar nooit naar Scoor gegaan," zegt hij. „Bij jullie voel ik me veel meer thuis."

Koen glimlacht. Meneer Waser steekt zijn duim op.

De bus vertrekt naar het pretpark. Na twee uur rijden komen ze er aan. Meneer Waser koopt de kaartjes. Iedereen van Koens team krijgt een hele grote beker met ijs.

„Omdat het een dubbel feest is," legt de voorzitter uit. En hij kijkt naar Broekie.

De spelers en Broekie hebben dolle pret. Ze gaan in alle attracties. Behalve meneer Waser en Frank. Die zitten de meeste tijd op een bankje.

„Wij durven niet," geeft Frank toe. „In die draaidingen worden we doodziek."

Koen kijkt zijn ogen uit. Er is een reuzenrad. Er zijn bootjes waarmee je door wild water vaart. Ook kun je in vliegtuigjes ronddraaien. En er is een schommel die hoog op en neer gaat.

Broekie doet overal aan mee. Maar hij wordt wel een beetje bleek.

„Vind je het soms eng?" vraagt Koen.

„Eng? Nee joh. Ik ben wel vaker in een pretpark geweest. Ik durf alles."

„Mooi," zegt Niels. Hij wijst. „Kijk. Daar is de achtbaan. Die is vet cool. Je gaat wel tien keer over de kop. Gaan jullie mee?"

Het hele team rent er naartoe. De spelers moeten eerst een poos in een rij staan.

Broekie wordt steeds bleker. „Ik voel me niet zo goed," zegt hij.

„Wacht dan maar op het bankje, als je niet durft," stelt Koen voor.

Broekie schudt nee. „Ik ga mee. Een trainer moet het goede voorbeeld geven."

De achtbaan is heel eng. Je zit in een soort kar. Die gaat via een rails omhoog. Daarna lijkt het alsof die steil naar beneden valt.

Koen vindt het geweldig. Net als zijn vrienden. Ze krijsen het uit van plezier.

Broekie krijst ook. Maar niet omdat hij het leuk vindt. „Ik wil er uit!" gilt hij. Zijn gezicht is zo wit als een vaatdoek.

„Dat kan niet!" roept Koen. „We zijn pas op de helft."

Even later stapt de ploeg van Koen uit.

„Nog een keer?" stelt Aukje voor.

„Ja. Gaaf," zegt Koen.

Broekie stapt uit het wagentje. Hij staat wankel op zijn benen.

„Wat doe je maf," vindt Tarkan. „Ben je aan het oefenen voor de disco? Dans je vanavond ook zo stom?"

„Ik vind zijn dansje wel apart," plaagt Frank.

Broekie zakt bijna door zijn benen. Hij gaat op een bank zitten. Koen geeft hem een slok van zijn drinken.

„Balen," zegt Broekie. Hij krijgt al weer wat kleur op zijn wangen. „Wat een ramp, dit pretpark. Ik wou dat ik maar bij Scoor was gebleven."

Koen weet niet wat hij hoort. „Wat?"

Broekie schiet in de lach. „Nee hoor. Geintje. Ik ga niet meer bij FC Top weg. Jullie komen nooit meer van me af."

„Klasse, Broekie," zegt Koen. „Dat heb je gezegd." Hij rent naar een kraampje. Je kunt er kaarten kopen.

Renske komt achter hem aan. „Ga je een kaart voor Broekie kopen? Maar hij is toch hier?"

„Wacht maar af," zegt Koen. Hij koopt een mooie kaart zonder postzegel. Dan gaat hij terug naar Broekie. „Heb je een pen voor me?" vraagt Koen aan zijn trainer.

Broekie pakt er een uit zijn jas.

Koen schrijft op: *Ik ga nooit meer weg bij FC Top.*

„Bij de training wilde je geen handtekening geven. Wil je die nu wel zetten?" vraagt Koen. „Op deze kaart, graag."

Broekie leest de tekst. Hij lacht. „Daar zet ik graag mijn naam onder."

Koen houdt de kaart in de lucht. „Fijn,

Broekie. Jij blijft altijd onze trainer. Kijk. Hier heb ik het bewijs. Beloofd is beloofd."

Broekie is ook opgelucht. „Ik ben blij dat ik geen geheimen meer voor jullie heb."